Une série réalisée par Thomas Astruc
Bible littéraire : Thomas Astruc
Bible graphique : Thomas Astruc et Nathanaël Bronn
D'après l'épisode « Animan »
écrit par Cédric Perrin et Jean-Christophe Hervé

Novélisation : Catherine Kalengula
Conception graphique : Carla de Cruylles
Mise en pages : Célia Gabilloux

Hachette Livre, 58, rue Jean-Bleuzen, 92178 Vanves Cedex.

Miraculous

Panique au zoo !

hachette
JEUNESSE

Marinette & Ladybug

Dans la vie,
Marinette a deux passions :
la mode et... Adrien !
Le problème, c'est qu'elle perd
tous ses moyens lorsqu'elle doit
lui parler. Pourtant, Marinette
cache un incroyable secret :
elle est Ladybug,
une super-héroïne, sûre d'elle
et déterminée !

Tikki

C'est le kwami de Marinette. Elle lui permet
de se transformer en Ladybug, lorsqu'elle intègre
ses boucles d'oreilles magiques, les Miraculous.
Calme et rassurante, Tikki est toujours de bon conseil !

Adrien
& Chat Noir

Adrien est LE garçon parfait : beau, sympa et populaire ! Comme Marinette, il mène lui aussi une double vie ! Il est Chat Noir, le complice de Ladybug, dont il est amoureux sans connaître sa véritable identité...

Plagg

Paresseux et un peu ronchon, le kwami d'Adrien ne l'aide pas toujours de gaîté de cœur ! Pour permettre à son complice de se transformer, Plagg doit intégrer sa chevalière.

Papillon

Personne ne sait
qui il est en réalité
ni où il se cache. Il a le pouvoir
de repérer les gens en colère
et de les transformer à distance
en supervilains grâce à ses akumas.
Son but ? Voler à Ladybug et
à Chat Noir leurs Miraculous,
qui sont les objets magiques
les plus puissants
au monde.

Les akumas

Ces papillons chargés de magie peuvent intégrer
l'objet fétiche d'une personne en colère et ainsi
la transformer en supervilain.

Ce mercredi-là, je feuillette un
magazine, assise sous le préau du
collège avec Alya. Je jette d'abord un
coup d'œil à mon horoscope – on ne
sait jamais, je vais peut-être découvrir
qu'Adrien m'aime en secret ? Qu'il
ne pense qu'à moi, nuit et jour ? Qu'il
manque de s'évanouir à chaque fois

qu'il me croise ? Qu'il n'attend qu'un geste… qu'un mot de ma part !

Bon, c'est vrai, la personne qui écrit ces horoscopes ne connaît sans doute pas MON Adrien – ou en tout cas, elle ignore que je suis folle de lui.

Mais il n'est pas interdit de rêver, si ?

— « Lion, je lis à voix haute, votre cœur va rugir de plaisir. »

Je tourne la page, et là, qui je vois en photo ? MON Adrien ! Je le savais ! Si ce n'est pas un signe du destin ?

— *ROAR !* je rugis, pour de vrai – ce qui fait rire Alya.

Comme il est beau ! Adrien pose souvent pour son père, qui est un grand styliste. Dans ce numéro de *La Mode,* son image s'étale sur une double-page, et même en couverture !

LA CHEMISE
Novo denique persiciesque exempli idem Gallus axie est ini flagilium greve, à la dequod Romae cumulet tibi dedecore templasse eliquam dicitur Gallienus, adhibita paucis clam ferri succinctis nesperi per ras plaban in compta iprtando

La chemise orange de Gabriel, 129,90 Euros.

LE POLO
Id impossible et Rauracum cogitationibus atomitus flo minis capessenti atomitus cogitationibus et portem ventum plurimis Alemania.

Le polo noir à kaki de Gabriel, 89,90 Euros.

Je ne jetterai jamais ce magazine. Je le garderai toute ma vie, tel un trésor.

Ah, si seulement, j'avais le courage de lui avouer mes sentiments – à Adrien, pas au magazine, bien sûr. C'est quand même incroyable, ça ! Je pourrais combattre une horde de supervilains, affronter le Papillon en personne, mais je n'arrive pas à parler au garçon de mes rêves. Dès que j'essaie, ses grands yeux verts me clouent sur place, et je suis comme paralysée.

J'ai si peur qu'il me réponde quelque chose comme : « Écoute, Marinette, tu es une bonne copine, je t'aime bien. Mais tu vois, il n'y aura jamais rien de plus entre nous. » Tout ça, avec un air franchement embêté. Enfin, vous voyez le genre ? Le truc à vous briser le cœur direct.

Parfois, je me dis que je préfère encore continuer de rêver…

Marinette ignore qu'un garçon l'observe en secret. Ce n'est pas SON Adrien, non. Il s'agit de… Nino ! Caché quelques mètres plus loin,

derrière des tapis de gymnastique, il dévore la jeune fille des yeux.

— Dis-moi, Nino, lance soudain Adrien qui surgit derrière lui, j'ai l'impression que tu louches un peu trop sur Marinette, ces derniers temps !

Paniqué, Nino l'entraîne derrière les tapis. Il ne faudrait surtout pas que Marinette les voie !

— Chut ! s'affole-t-il. Oui, bon, c'est vrai, je la trouve super mignonne. Pas toi ?

L'instant d'après, il semble atteindre le comble du désespoir.

— Ah, comment je pourrais faire pour qu'elle me remarque ? Lui sortir une blague ? Lui faire des compliments ? L'inviter au zoo ? La jouer façon tombeur ?

Voilà ce qui s'appelle : être complètement perdu. Un état qu'Adrien – ou plutôt Chat Noir – peut comprendre. Lui aussi aimerait tant trouver une manière de toucher le cœur de sa Lady…

— Nino, tu te poses trop de questions, répond-il. Et

pour ce qui est de l'inviter au zoo…
Non, mais t'es sérieux ?

— Ben quoi, il paraît qu'ils ont accueilli une nouvelle panthère…

Une chose est sûre, Nino a besoin de soutien ! Adrien lui passe un bras autour des épaules.

— Écoute, l'important, c'est de rester toi-même, conseille-t-il.

— Facile à dire, rétorque son ami. Tu es en couverture de tous les magazines de mode. Pour moi, c'est carrément plus dur !

— Tu es super cool, Nino, crois-moi ! lui assure Adrien. Sinon, tu ne serais pas mon meilleur ami. O.K., invite-la au zoo. Elle acceptera, j'en suis certain.

Pris d'un élan de courage, Nino bombe le torse, redresse sa casquette

et se dirige d'un pas décidé vers Marinette… avant de faire demi-tour et de revenir en courant ! Que fera-t-il si elle le jette ? Si elle lui met un vent ? Ou le traite de gros lourd ?

Heureusement, il peut compter sur Adrien…

Ça y est, fin de la journée de cours ! Avec Alya, nous sortons du collège, en discutant. Je tiens mon précieux magazine entre les mains. Difficile de ne pas l'admirer à longueur de temps !

— Ah, il est si… je soupire, en parlant d'Adrien.

— Intelligent, gentil, beau comme un dieu, irrésistible, drôle et sensible, énumère mon amie.

— Bien plus que ça, je conclus.

Je suis tellement captivée par les photos que je percute un lampadaire. Mais non, c'est Nino ! Que fait-il, planté au milieu du trottoir ? L'instant d'après, Adrien apparaît derrière lui.

Inutile de préciser que je suis dans tous mes états.

— Oh, on est désolés, déclare-t-il, en donnant un coup de coude à son ami – histoire de le secouer. Pas vrai, Nino ?

— Désolés, marmonne ce dernier, sans bouger.

Je ris bêtement – c'est plus fort que moi, je fais toujours ça quand Adrien est là. Soudain, je me rends compte que j'ai laissé tomber mon magazine en heurtant Nino. Et bien sûr, il est resté ouvert à la page que j'étais en train de contempler.

Adrien va voir que je regardais ses photos !

Au secours !

Je me précipite pour le ramasser, pile en même temps qu'Adrien, et nous nous cognons la tête. Je n'y crois pas ! J'ai touché son front ! Je suis trop contente !

Nous nous excusons en chœur. Encore un signe ! Pendant ce temps, Nino est toujours aussi bizarre, droit

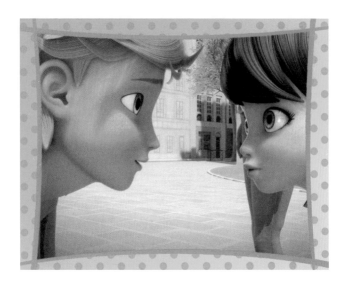

comme un *i*, le regard fixe et la bouche pincée. Aurait-il été hypnotisé ?

— Toutes nos excuses, ajoute Adrien, en le regardant avec insistance. Comment on pourrait se faire pardonner ? Hum, tu aurais une idée, Nino ?

Comme son ami semble toujours paralysé – à moins qu'il ne soit somnambule ? –, Adrien poursuit :

— Et qu'est-ce que vous diriez d'aller tous ensemble au zoo, aujourd'hui ?

Hein ? Ai-je bien entendu ? « Tous ensemble » ? Ça veut dire, moi avec… *lui* ? Nous deux, côte à côte, dans le même endroit ? Mon cœur s'envole !

Je souris jusqu'aux oreilles.

— Il paraît qu'ils ont reçu… commence à expliquer Adrien.

Il claque des doigts devant le nez de Nino, qui paraît enfin se réveiller. J'avais raison : il a bien été hypnotisé. Comme moi, par mon Adrien…

— … Euh, oui, ils ont reçu une nouvelle panthère ! précise Nino en raccrochant les wagons.

Un immense sourire – que dis-je, une banane ! – est toujours plaqué sur mon visage. Impossible de changer d'expression, même si je le voulais.

— Ah, mais c'est une super idée, approuve Alya en m'adressant un regard appuyé. En plus, tu adores les animaux.

— Euh, ah oui, je... je suis super fan des zeunimaux... je bredouille. Euh, je veux dire, des manizaux. Non, des zaminaux.

De pire en pire. Je n'y arriverai jamais ! Ridicule, voilà ce que je suis. Heureusement, Adrien vole à mon secours. Quand je vous dis qu'il est parfait !

— Super, se réjouit-il, avec son incomparable douceur. Alors, on se dit rendez-vous à quatre heures ?

— Quatre heures, je répète comme dans un rêve. C'est noté.

Il s'éloigne avec Nino, me laissant planer sur mon petit nuage rose… Même de loin, Adrien est tellement, mais tellement craquant !

— Ouh ouh, allô la Terre ? me lance Alya, en agitant la main sous mon nez. Tu te rends compte que le garçon dont tu es raide dingue amoureuse vient de t'inviter à une sortie, pas vrai ?

Soudain, ses mots remontent jusqu'à mon cerveau.

Une sortie, avec Adrien ? Oh non, mais comment vais-je faire ?

Rendez-vous au zoo

Moi, Marinette, j'ai rendez-vous avec Adrien. Bon, techniquement, il a aussi invité Nino et Alya, mais ça revient au même. C'est peut-être la chance de ma vie de me rapprocher du garçon qui fait battre mon cœur.

Je ne panique pas, non. J'ai largement dépassé ce stade. Si je n'arrive pas à prononcer un mot aussi simple qu'*animaux* en face d'Adrien, comment vais-je tenir toute une conversation ?

Par chance, j'ai une super coach. Alya. Elle a promis de m'aider. Il faut dire qu'elle n'a pas eu le choix – je l'ai carrément suppliée.

Nous passons en mode « espionnes de la C.I.A » – C.I.A., signifiant pour moi : Coccinelle Incroyablement Amoureuse. Chacune porte une oreillette, qui nous permet de communiquer. Alya est cachée derrière des arbres, tandis que j'attends mon Adrien devant l'entrée du zoo…

— Test 1, 2, 1, 2… Marinette, tu me reçois ? me demande ma meilleure amie, dans l'oreillette qui grésille comme une vieille radio.

— Euh ouais, cinq sur cinq, je réponds, mal à l'aise. Mais je ne suis pas sûre d'y arriver, même comme ça.

Je sais qu'elle veut m'aider. Pourtant, là, maintenant, je n'ai qu'une envie : fuir à toutes jambes !

— Mais bien sûr que si, affirme-t-elle, d'un ton autoritaire, il suffit que tu restes toi-même.

— Tu te souviens de la dernière fois que tu m'as donné ce conseil ? je demande.

Souvenir ô combien humiliant…

Alya m'avait justement fait la même recommandation – celle de rester moi-même, Marinette, pour parler à Adrien. Ce jour-là, j'étais vraiment décidée : j'allais franchir le pas et l'inviter à sortir. Rien ne pouvait m'arrêter ! Au collège, j'ai été voir Adrien d'un pas énergique. Il était en train de se laver les mains. Normal puisque nous étions dans… *les toilettes des garçons* ! Enfin, je ne m'en suis rendu compte qu'en entendant leurs cris choqués et en échappant de justesse à une pluie de rouleaux de papier toilette. Bien sûr, je me suis empressée de filer – un peu comme si j'avais une horde de supervilains absolument terrifiants à mes trousses.

Typiquement le genre de moments que j'aimerais pouvoir effacer de ma mémoire ! Mais pourquoi est-ce que je suis toujours aussi tête en l'air ?

— D'accord, concède Alya. Alors, reste toi-même… mais fais attention où tu vas.

Les minutes passent, et mon trac monte d'un cran.

Je scrute les alentours. Aucun signe d'Adrien. Et si jamais il avait changé d'avis ?

Je me désespère :

— Ah, où es-tu, amour de ma vie ?

À cet instant, Tikki sort la tête de mon sac.

— Si tu n'arrives pas à parler à Adrien, alors il n'est peut-être pas l'amour de ta vie, fait-elle remarquer.

Mon amie me donne habituellement d'excellents conseils, mais là, c'est du grand n'importe quoi !

— Chut, Tikki ! je lui dis, en refermant mon sac. Et reste bien cachée. Je vais lui parler, tu vas voir ! Je réussirai, c'est sûr, cette fois !

Je ne suis plus en mode agent secret, mais en mode combattante. C'est vrai, quoi ! Je ne vais pas passer toute ma vie à aimer Adrien en secret… Il faut qu'il sache ce que je ressens pour lui. C'est aujourd'hui ou jamais !

— Voilà, c'est bien, approuve Alya. J'aime t'entendre dire ça.

Soudain, j'aperçois deux silhouettes au loin.

— Aaah, les voilà ! je m'affole complètement.

Oui bon, je l'admets, ma belle assurance n'a pas duré longtemps. Lorsque les deux garçons se retournent, je

pousse un soupir de soulagement. Il ne s'agit pas d'Adrien et Nino.

— Salut Kim ! Salut Max ! je lance à mes amis qui m'ont rejointe. Qu'est-ce que vous faites ici ?

— On est venus voir la nouvelle panthère, m'explique Kim, en gonflant ses biceps. Je veux me mesurer à elle.

— Ça te dirait de venir avec nous ? suggère Max.

Dans mon oreillette, Alya m'avertit que l'amour de ma vie approche – oui, je le dis, je le répète : Adrien est *bien* l'amour de ma vie, pour celles et ceux qui en douteraient encore.

— Non ! je crie, dans tous mes états.

Confus, Max et Kim croient que je refuse leur proposition.

— Ah, euh si, je veux dire, je rectifie, en souriant. Mais, non… merci. En fait, j'attends quelqu'un. Alors, je ne vous retiens pas.

— O.K., comprend Kim. Peut-être à plus tard ?

Pendant qu'il s'éloigne avec son ami, j'affiche mon plus beau sourire, en cherchant Adrien des yeux. Et c'est Nino qui arrive. Seul. Je ne comprends pas…

Forcément, Adrien n'est pas là. Puisqu'il a décidé de jouer le coach, exactement comme Alya ! Lui aussi guide son ami à travers une oreillette.

Mais ça, Marinette l'ignore…

J'ai beau regarder derrière Nino. Personne. Peut-être qu'Adrien a juste du retard ? Entre ses séances de mannequinat, ses cours d'escrime, de chinois et de piano, il est tellement occupé !

— Salut, Nino, je lance. Adrien n'est pas avec toi ?

Il semble étrangement gêné.

— Vous serez bien mieux sans moi, déclare-t-il.

— Hein ?

Mais qu'est-ce qu'il raconte ?

— Euh, je veux dire, sans lui, évidemment, corrige Nino. Pas besoin d'Adrien pour se balader dans le zoo.

Coach Alya s'énerve dans l'oreillette : « Bien sûr que si, grosse nouille ! » Et moi, je répète sans réfléchir :

— Bien sûr que si, gross... (ouf, je m'interromps juste à temps). Euh, Adrien n'était pas censé venir ? Tu n'as pas envie de l'attendre ?

Il se met à marmonner en se tenant l'oreille.

Décidément, Nino est vraiment très bizarre, en ce moment. Un coup il dort debout au milieu du trottoir, un coup il dit des choses incompréhensibles…

— Tu as raison, répond-il, à mon plus grand soulagement. On va l'attendre.

Pendant que Marinette et Nino attendent Adrien – qui ne viendra pas –, un soigneur du zoo s'occupe de sa toute nouvelle protégée : la superbe panthère noire, sur laquelle il veille avec une attention particulière.

—Regarde ce que papa t'a apporté, lui dit-il, en entrant déposer une

gamelle de viande dans sa cage vitrée.
Ah, c'est bon, ça, hein, ma merveille ?

Sous son regard bienveillant, le
félin se penche pour manger tranquillement. Son soigneur savoure ce
moment. Les animaux, c'est toute sa
vie…

De l'autre côté de la vitre, Max et
Kim ne perdent pas une miette du
spectacle.

— Oh ! Là, là ! tu as vu le morceau de viande qu'elle dévore ? s'exclame Kim.

— C'est l'aliment principal de ce carnivore capable d'atteindre la vitesse de soixante-cinq kilomètres heure, explique Max qui ne perd jamais une occasion de sortir sa science.

— Soixante-cinq kilomètres heures, c'est tout ? ricane Kim. Je croyais qu'une panthère était plus rapide que ça. Je parie que je pourrais la battre à la course !

Le soigneur entend ses paroles.

— Je ne pense pas, intervient-il. Aucun être humain ne peut rivaliser avec ma panthère.

Mais Kim n'en démord pas. Comme d'habitude, il se prend pour le plus fort.

— Vous en êtes sûr ? fanfaronne-t-il. Il a fini combien, votre chaton, au championnat inter-collèges d'Île-de-France ? Moi, je suis arrivé premier.

— Arrête, voyons, répond le soigneur. Tu ne peux pas te comparer à ma panthère, gamin.

— Pfft, ça ne risque pas ! rétorque le garçon, en passant une main dans ses cheveux. Je suis le plus canon des deux.

Puis, il s'adresse au félin, qui gronde en le regardant.

— Hé, boule de poils ! Ça te dirait de faire une course avec moi ? Le dernier aura un gage.

Max s'empresse de lui rappeler que ce n'est sûrement pas la panthère qui récoltera le gage, et qu'elle aura – en revanche – de fortes chances de l'avaler tout cru, bien avant la ligne d'arrivée !

— Ton ami a raison, gamin, confirme le soigneur. Et maintenant, partez. Ma panthère a besoin de calme pendant son repas, et là, vous la stressez.

— Ah ! rigole Kim, c'est vrai, tu es stressée, la boule de poils ? Et moi qui pensais que ce truc était un animal sauvage !

La panthère rugit, visiblement énervée, et le soigneur entre dans une fureur noire. Il ordonne à Max et Kim de partir sous peine d'être expulsés du zoo. Agacé, Kim traite le félin de « pauvre matou qui doit prendre son quatre-heures avec sa nounou colérique ».

Colère, vous avez dit ? Voilà de quoi ravir le Papillon ! Il envoie aussitôt un akuma, vers le zoo. Le papillon maléfique ne tarde pas à atteindre le soigneur furieux et à se fondre dans son bracelet.

L'instant d'après, l'amoureux des animaux se transforme en une panthère noire assoiffée de vengeance.

Une chose est sûre : Kim va devoir courir très, très vite, pour échapper à… Animan !

Animaux en liberté !

Mais que fabrique Adrien ? Ça fait une éternité que je l'attends, moi, assise sur un banc avec Nino. Les minutes défilent, et mes espoirs finissent par s'envoler.

— Bon, ben, on dirait qu'il prend son temps, je déclare tristement. Il ne viendra pas, hein, c'est ça ?

— Si, il arrive, m'assure Nino, en se rapprochant de moi. Mais avant, je voulais juste rester un peu avec toi pour te dire…

Il grimace et se met à gémir. Le pauvre, il n'a vraiment pas l'air bien. Il a peut-être mal quelque part ?

— … Que j'aime une fille, finit-il par avouer (visiblement au prix d'un

gros effort), mais que je ne sais pas comment le lui dire.

Voilà quelque chose que je comprends cinq sur cinq ! Marinette SOS-Cœurs-en-détresse à la rescousse !

— C'est vrai ? je réplique, ravie qu'il m'ait choisie pour confidente. Eh bien, si tu veux, je peux t'aider.

— Tu ferais ça ? me demande Nino.

Dans mon oreille, Alya se moque : « Parce que tu es une spécialiste des déclarations d'amour, maintenant ? Ah ah ! J'ai hâte d'entendre ça ! » Je commence à regretter cette idée d'oreillette, moi…

— J'ai hâte d'entendre ça, je l'imite d'une voix franchement agacée.

Ce n'est pas parce que ça fait cent quatorze fois (exactement) que j'essaie de parler à Adrien – sans y parvenir –, que je suis forcément mauvaise conseillère, au contraire ! Nino a choisi pile la bonne personne. Je suis une véritable *experte.*

— Quoi ? s'étonne-t-il.

— Euh, oui, je m'empresse de réagir en me rappelant ma dernière phrase, j'ai hâte d'entendre le nom de cette chanceuse !

— C'est t… t… t… (il a l'air soudain bloqué). C'est… ta copine Alya.

Je n'en crois pas mes oreilles ! Mais c'est génial ! J'adore les histoires d'amour. Et puis, je nous vois déjà, Alya au bras de Nino, et moi marchant aux côtés d'Adrien. Ne serait-ce pas merveilleux ?

— Je vais t'organiser un rendez-vous avec elle, je lance, folle de joie.

Alya s'énerve. Elle proteste, dit que je ne lui ai pas demandé son avis, et qu'elle considère Nino comme un frère. Elle termine par : « Non mais, même pas en rêve ! ». Je crois qu'elle pousse même un : « Pouah ! ».

Mon petit doigt me dit qu'elle n'est pas tout à fait d'accord.

— Mais il va être trop triste si tu refuses, je plaide doucement.

Nino m'a entendue – pas facile le truc des oreillettes !

— Tu as dit quelque chose, là ? me demande-t-il.

— Je disais que… ce serait trop triste si tu refusais ce rendez-vous.

Alors qu'Alya fait une crise de nerfs derrière son buisson, je vois soudain Max et Kim passer en courant.

— Restez pas là ! hurle Kim.

— Planquez-vous ! crie Max, juste derrière lui.

Je comprends aussitôt la raison de leur panique : ils sont suivis par une panthère noire, et tout un troupeau d'animaux sauvages ! Éléphant, gorilles, ours, girafes et j'en passe. Mais comment ces bêtes sont-elles sorties de leurs cages ? Bon, j'éclaircirai ce mystère plus tard.

Pour l'instant, il y a urgence ! Apeuré, Nino préfère déguerpir.

Quant à moi, je sais ce qu'il me reste à faire. Je me cache derrière des arbres.

— Tikki, transforme-moi !

Mon kwami intègre mes boucles d'oreilles, et je deviens Ladybug !

Sans perdre un instant, je file à la rescousse de Kim, qui semble en mauvaise posture. Il se trouve face à… une panthère qui parle. Je crois que je commence à comprendre. Encore un coup du Papillon ! Il utilise les sentiments négatifs de ses victimes – tristesse, frustration, colère – pour les transformer. Tout ça dans un seul but : s'emparer de nos Miraculous !

— Tu as perdu, gamin, tonne le supervilain. Alors, qu'est-ce que tu penses des panthères, maintenant ?

Il s'avance vers Kim d'un air menaçant. Je me plante devant mon ami.

— Et toi, tu penses quoi des coccinelles ? je rétorque.

Mon coéquipier surgit à son tour.

— ... Et d'un autre chat noir ? ajoute-t-il.

— La chaîne alimentaire est à mon avantage, répond froidement le supervilain.

Je pousse Kim à s'enfuir, mais la panthère maléfique le prend en chasse ! On dirait qu'elle a un sérieux compte à régler avec lui. Vite, je dégaine mon yo-yo et je l'enroule autour de ses pattes. C'est là que je remarque quelque chose.

— Chat Noir, regarde, il ne porte qu'un bracelet. L'akuma doit être dedans !

— Tiens-le, me répond-il, confiant, je vais le lui enlever.

Mais lorsque nous tournons à nouveau la tête vers la panthère, elle est entourée de tous ses petits copains du zoo – éléphant, ours, gorilles, girafe, et même des aigles. Le moins que l'on puisse dire, c'est qu'ils sont très impressionnants.

— Attaquez ! ordonne leur chef.

Face à une telle situation, une seule solution : prendre la poudre d'escampette ! Tout en fuyant, Chat Noir suggère de ramener les animaux dans leurs cages… et pile à cet instant, j'aperçois Alya et Nino poursuivis par un gorille. Il faut d'abord mettre nos amis à l'abri ! Je file à leur secours, et ce sont eux que j'enferme dans une cage – pour les protéger.

— Restez-là, je leur dis, vous ne risquez rien.

Puis, je retrouve Chat Noir qui a grimpé au sommet d'un arbre. Les animaux ne le lâchent pas. Tandis qu'une girafe tente de le mordre, l'éléphant et l'un des ours essaient de l'attraper.

— Il y en a trop, je constate, on ne pourra pas tous les attraper.

— O.K., mais tu proposes quoi ? m'interroge-t-il..

Il me rejoint sur le toit d'une cage suffisamment haute pour échapper à nos assaillants de tout poil.

— On revient au plan A, j'explique. Si on arrive à casser son bracelet, je pourrai capturer l'akuma et tout rentrera dans l'ordre.

Chat Noir est d'accord avec moi. Pendant que les animaux sortent du zoo, nous fonçons vers le supervilain. Seulement, une fois sur place, nous constatons qu'il a disparu, en laissant mon yo-yo.

— Hein ? je m'exclame, stupéfaite. Mais mon fil est incassable !

— Regarde, me dit Chat Noir, en le ramassant. Il n'est pas cassé.

C'est vrai, ça ! Il est intact.

— Alors, comment le supervilain s'est-il libéré ?

— Je ne sais pas, répond mon coéquipier, mais il faut retrouver Kim (il se gratte la tête, gêné). Euh… le garçon, avant qu'il ne se fasse dévorer.

Ça alors, il connaît Kim, lui aussi ? Encore un mystère qui devra attendre. Parce que Chat Noir a raison. La première chose à faire est d'éviter que Kim soit transformé en goûter !

voyons un ours qui se frotte le dos contre une voiture, pendant que son propriétaire s'enfuit, terrifié. Chat Noir et moi en venons à la même conclusion : nous devons agir, et vite !

— Il faut l'arrêter, avant que Paris ne devienne une vraie jungle, commente mon coéquipier.

— Suis-moi ! je lui dis.

Un bond plus tard, je pousse la porte de la boulangerie-pâtisserie. Mes parents sont là, dans la boutique, près de Kim. Ça me fait bizarre d'être devant eux, vêtue de ma combinaison de superhéroïne.

— Bonjour, Ma… (Oups, j'ai manqué
de dire « maman » !)… Madame.

Ma mère pointe l'index vers moi.

— Mais tu es…

Mon cœur cesse de battre. Oh non,
elle m'a reconnue !

— … Tu es Ladybug, reprend-elle,
visiblement émue.

Je pousse un énorme ouf !

Dans le salon, la télévision est allumée… et les nouvelles sont alarmantes. La journaliste parle d'une véritable invasion d'animaux dans les rues de Paris, tandis que des images illustrent ses paroles. On voit un éléphant qui retourne une voiture d'un coup de trompe, une girafe qui s'empare d'un pot de fleurs sur un balcon, et des gorilles-voleurs de friandises, qui cassent tranquillement la croûte sur les rails du métro. Le message du maire de la ville est très clair : les Parisiens doivent rester chez eux !

— Ici, tu seras en sécurité, je rassure Kim, qui se remet doucement de ses émotions. Est-ce que je peux t'emprunter ton bracelet éponge ?

Je saisis l'objet dans un but précis. Attirer le supervilain dans un piège !

Après m'être assurée que toutes les portes et fenêtres sont bien fermées, je remercie mes parents – en manquant d'appeler mon père, « papa » – d'avoir aidé Kim, malgré le danger.

Peut-être que je tiens d'eux ? Moi aussi, j'aime secourir les autres – à ma façon !

Sitôt après, je file placer le bracelet éponge imprégné de l'odeur de Kim en bas de l'escalier. Maintenant, il ne reste plus qu'à attendre…

Dehors, c'est le chaos ! Les animaux ont pris le pouvoir. Plus personne ne circule dans les rues. Dans la boutique, j'asperge Chat Noir de désodorisant.

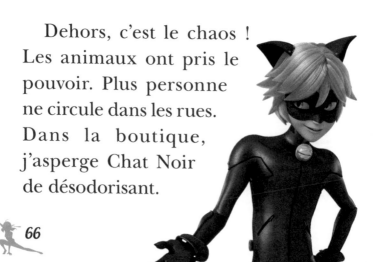

— C'est pour cacher notre odeur, j'explique.

— Oh, merci, j'ai toujours rêvé de sentir le parfum de la brise marine, plaisante-t-il.

Avec mon coéquipier, nous essayons de chercher une cage suffisamment grande pour accueillir ce supervilain hors norme. On ne sait jamais en quoi il va se transformer ! C'est alors que nous voyons un bus vide, à travers la vitrine.

Parfait !

— Mais comment va-t-on le pousser à y entrer ? interroge Chat Noir, avant de remuer les oreilles. Il arrive !

Nous nous cachons en quatrième vitesse. Quelques instants plus tard, le supervilain pénètre chez moi sous la forme d'une… coccinelle ! Excellent

choix : avec sa petite taille, il peut se faufiler par la porte. J'attrape une boîte et je m'empresse de l'enfermer à l'intérieur.

Bon, c'était plutôt facile, finalement !

Sauf que je me suis réjouie trop vite. Le voilà qui se retransforme illico… en panthère ! Génial… l'un des animaux les plus rapides de la planète ! Poursuivis, Chat Noir et moi sortons en courant de la boulangerie, direction le bus que nous avons repéré.

Et notre plan marche à la perfection ! Tandis que nous entrons dans le véhicule, la panthère bondit brusquement derrière nous et les portes se referment..

Allez hop, tous en cage ! Mais bon maintenant, il va falloir en sortir.

Pendant que Chat Noir brandit son bâton tel un dompteur, tentant de maîtriser le félin, je fonce vers les portes pour les rouvrir et nous permettre de nous échapper… Seulement, sans la clé de contact, impossible d'actionner les battants automatiques !

Comme si cela ne suffisait pas, le supervilain se métamorphose en ours brun – du genre pas gentil du tout. D'un coup de patte, il projette Chat

Noir au sol. Celui-ci lâche son bâton, qui roule vers l'avant du bus, jusqu'à moi.

Je le renvoie aussitôt à son propriétaire, qui s'en sert pour repousser l'animal. Puis, je ficelle la bête avec mon yo-yo. Évidemment, notre ennemi se transforme à nouveau, en coccinelle cette fois.

— Toutes ces métamorphoses semblent l'épuiser, j'observe, alors qu'il redevient panthère et halète, peinant à reprendre son souffle.

— Dans ce cas, laissons-le se fatiguer tout seul, propose Chat Noir. Ce sera plus simple pour capturer son akuma.

Il fait appel à son pouvoir.

— Cataclysme !

Puis, il pose sa main chargée d'énergie destructrice, sur le tableau de bord. Le bus devient alors comme fou. Ses phares clignotent, ses portes s'ouvrent et se referment violemment. Chat Noir et moi en profitons pour déguerpir, juste avant que le véhicule ne soit définitivement hors d'usage – avec la panthère coincée à l'intérieur !

— Ce n'est pas vraiment une cage, je déclare, mais ça fera l'affaire.

J'aurais sans doute mieux fait de me taire. Quelques instants après, c'est un animal un peu particulier qui perce le toit du bus.

Un animal que je n'aurais jamais pensé rencontrer un jour, en chair et en os.

Un tyrannosaure !

Un combat préhistorique !

Dressée sur le bus, la bête pousse un grondement qui fait trembler tout Paris.

— Hé, ce n'est pas du jeu ! se révolte Chat Noir, à côté de moi. C'est une espèce disparue !

— Le tyrannosaure a peut-être disparu il y a longtemps, je réplique,

mais techniquement, ça reste un animal.

Cela dit, à l'époque où cette espèce vivait sur la Terre, les hommes n'existaient pas encore. Maintenant, je comprends mieux pourquoi !

L'énorme dinosaure bondit près de nous, et rugit de toutes ses forces. Autant dire que c'est terrifiant !

— Ma Lady, si nous restons ici, deux autres espèces vont disparaître ! me prévient Chat Noir.

Nous nous mettons à courir, tandis que le monstre nous poursuit, en bousculant tout sur son passage.

Avec Chat Noir, nous trouvons refuge derrière un véhicule à l'arrêt. Mais je sais que notre répit sera de courte durée ! Il ne reste plus qu'une solution. Mon pouvoir ultime.

— Lucky Charm ! je crie, en lançant mon yo-yo.

Cette fois, c'est un cric de voiture qui me retombe dans les mains. J'avoue que ça me laisse perplexe…

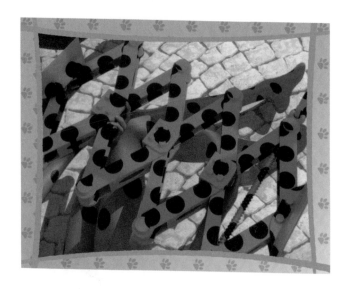

— Dommage que le supervilain n'ait pas de pneu crevé, ironise mon coéquipier.

Je me mets à observer notre « ami » préhistorique. Un plan se forme alors dans mon esprit…

— Regarde, il a de toutes petites pattes avant, je fais remarquer.

— Oui, il ne devait pas être très doué en basket, plaisante Chat Noir avec son humour habituel. Bon, où est-ce que tu veux en venir ?

— Si tu lui grimpes dessus, j'explique, il ne pourra pas t'attraper et tu attireras toute son attention. Du coup, j'aurai le champ libre.

Forcément, Chat Noir me sort l'une des petites blagues dont il a le secret. Il ne perd jamais une occasion, celui-là !

— Il m'a l'air excellent ton plan. J'attire super bien l'attention, se vante-t-il, en rapprochant son visage du mien.

Je n'y crois pas ! Comme si c'était le moment ! Alors que je le repousse,

le tyrannosaure surgit brusquement au-dessus de nous – en écrasant la voiture qui nous cachait.

Avec courage, mon coéquipier lui saute dessus et s'agrippe à son cou. Pendant que le monstre secoue la tête pour se débarrasser de son « cavalier », j'en profite pour ligoter ses pattes à l'aide de mon yo-yo. Et hop, je tire d'un coup sec sur la ficelle pour le faire tomber.

Le tour est joué !

En revanche, il y a quelque chose qui m'intrigue. Comment se fait-il que je n'aie pas eu besoin de me servir du cric ? En principe, les objets du Lucky Charm ne sont pas là par hasard…

C'est au moment où Chat Noir s'avance vers le dinosaure et où celui-ci manque de le croquer que je comprends tout.

— Je sais ce qu'il faut faire ! je déclare, sans laisser le temps à Chat Noir de réagir.

Je me rue sur le supervilain, et je saute dans sa bouche, en lui souhaitant bon appétit. Une fois à l'intérieur, j'actionne le cric qui

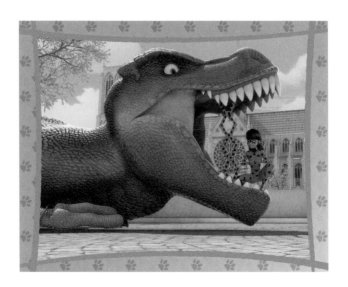

bloque ses mâchoires en position
grande ouverte.

Puis, je me dépêche d'attraper le
bracelet, et de libérer l'akuma qu'il
contient. Après un petit séjour dans
mon yo-yo, il redevient un charmant
papillon. Je n'ai plus qu'à jeter le cric
dans les airs.

— Miraculous Ladybug !

L'objet se transforme en une multitude de coccinelles magiques qui se chargent de réparer tous les dégâts. Paris redevient comme avant, avec des passants dans les rues et des animaux sauvages... dans les cages ! Je ne suis pas mécontente de voir le tyrannosaure se transformer en être humain, infiniment moins dangereux !

Nos Miraculous sont en sécurité. Le Papillon a encore échoué...

Alors que je m'apprête à faire notre habituel petit « tope-la » de la victoire avec Chat Noir, celui-ci me prend dans ses bras.

— Ladybug, j'ai cru que je t'avais perdue.

Au son de sa voix, je sens qu'il est sincère. Et cela me touche. Mais il est temps de nous séparer…

Je rentre chez moi, complètement épuisée. Ce combat préhistorique était vraiment éprouvant ! Tandis que je m'allonge dans ma chambre, mon téléphone retentit. C'est Alya.

Oh non, je l'ai complètement oubliée !

— Oh ! Là, là ! elle va me détester, je me lamente.

— Et encore, me dit Tikki, elle ne sait pas que tu es aussi la Ladybug qui l'a enfermée dans une cage avec Nino !

— C'est vrai, j'admets. Si elle savait ça, elle me tuerait.

Il ne me reste plus qu'à essayer de rattraper le coup. Au téléphone, je ne laisse pas le temps à Alya de parler. Je me confonds en excuses, tout en sortant dans la rue.

— Écoute, Alya, je suis désolée pour tout à l'heure. Je n'aurais jamais dû proposer à Nino d'organiser un rendez-vous avec toi. Je ne sais pas ce qui m'a pris. Mais t'inquiète, je vais tout lui expliquer, c'est promis. J'espère que tu me pardonnes.

À cet instant, sur qui je tombe, juste devant chez moi ? Alya. Nous rions en chœur. Lorsque Nino sort de la boulangerie et offre un cookie à ma meilleure amie. Je n'en reviens pas. Mais que fait-il là ? Et pourquoi ont-ils l'air aussi… complices ?

— Ladybug nous a enfermés dans la même cage toute l'après-midi, me raconte Alya.

Bien sûr, je joue l'étonnée.

— Et là, poursuit Nino, on s'est rendu compte qu'on avait plein de

points communs. Tu sais quoi, Marinette ? La fille dont j'étais amoureux… eh bien, en fait, c'était toi.

— Hein ? je m'écrie, stupéfaite – pour de vrai, cette fois.

— Enfin, c'est ce que je croyais, ajoute-t-il. Mais après être resté avec Alya toute l'aprèm'…

Il prend un air rêveur, qui veut tout dire. Ensuite, tous deux m'expliquent qu'Adrien était au zoo pour coacher son ami ! J'apprends aussi qu'Alya a confié à Nino que je craquais pour un garçon de la classe. Mais il semble elle n'ait pas précisé son prénom !

Ouf !

En tout cas, cette histoire m'a appris une chose : outre le fait que les humains et les dinosaures ne sont pas faits pour vivre ensemble – : en amour, on n'est jamais à l'abri d'une surprise…

Je devrais peut-être m'enfermer dans une cage avec Adrien ?

Retrouve très bientôt
Ladybug et Chat Noir
dans une nouvelle aventure
en Bibliothèque Rose !

As-tu lu les premiers tomes des aventures de Ladybug et de Chat Noir ?

Table

1 - Une invitation surprise 7

2 - Rendez-vous au zoo 23

3 - Animaux en liberté ! 43

4 - De surprise en surprise 59

5 - Un combat préhistorique ! 75